# 目录

# 目录

Contents

# dì yī kè nǐ hǎo
# 第一课 你好！

nǐ hǎo
你好！
nǐ hǎo
你好！

102
103
zài jiàn
再见！
床前明月光，
疑是地上霜。
举头望明月，
低头思故乡。
我的一家
我爱我的妈妈，
我爱我的爸爸。
zài jiàn
再见！

# dì yī kè nǐ hǎo
# 第一课 你好！

tóng xué men hǎo
同学们好！
老师好！
lǎo shī hǎo
老师好！

tóng xué men zài jiàn
同学们再见！
老师再见!
lǎo shī zài jiàn
老师再见！

dì yī kè nǐ hǎo

# 第一课 你好！

107
108
nǐ hǎo ma
你好吗？
wǒ hěn hǎo xiè xie
我很好。谢谢！

zài jiàn
再见！
zài jiàn
再见！

# dì yī kè nǐ hǎo
# 第一课 你好!

## jù xíng
## 句型

你好!

Hello.

老师好!

Hello, teacher.

同学们好!

Hello, class.

再见!

Good-bye.

老师再见!

Good-bye, teacher.

同学们再见!

Good-bye, class.

你好!
你好!

## jù xíng
## 句型

你好吗?

How are you?

我很好。谢谢!

I am fine. Thanks!

## jù xíng liàn xí
## 句型练习

你好吗？

老师 → ________________

同学们 → ________________

你好。

老师 → ________________

同学们 → ________________

谢谢你。

老师 → ________________

同学们 → ________________

# dì yī kè nǐ hǎo
# 第一课 你好！

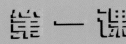

## rèn dú zì cí
## 认读字词

| | | |
|---|---|---|
| 你 | nǐ | you [singular] |
| 好 | hǎo | good, well, fine |
| 你好 | nǐ hǎo | hello, how are you |
| 再见 | zài jiàn | good-bye |
| 同学 | tóng xué | classmate, schoolmate |
| 们 | men | [used after a pronoun or noun to show plural] |
| 老师 | lǎo shī | teacher |
| 吗 | ma | [ending word of a question] |
| 我 | wǒ | I, me |
| 很 | hěn | very |
| 谢谢 | xiè xie | thank |



## xí xiě zì
## 习写字

你 nǐ you　丿 亻 亻' 亻𠂊 伫 你 你

好 hǎo good, well, fine　𡿨 女 女 女' 奵 好

见 jiàn to see　丨 冂 贝 见

dì èr kè nǐ jiào shén me míng zi

# 第二课 你叫什么名字？

jiào shén me míng zi
你叫什么名字？
WIN!
@#%!
jiào wáng xiǎo wén
我叫王小文。

Are you a boy
jiào shén me míng zi
你叫什么名字？
Yes, I'm a boy
jiào lǐ dà zhōng
我叫李大中。

dì èr kè nǐ jiào shén me míng zi
# 第二课 你叫什么名字？

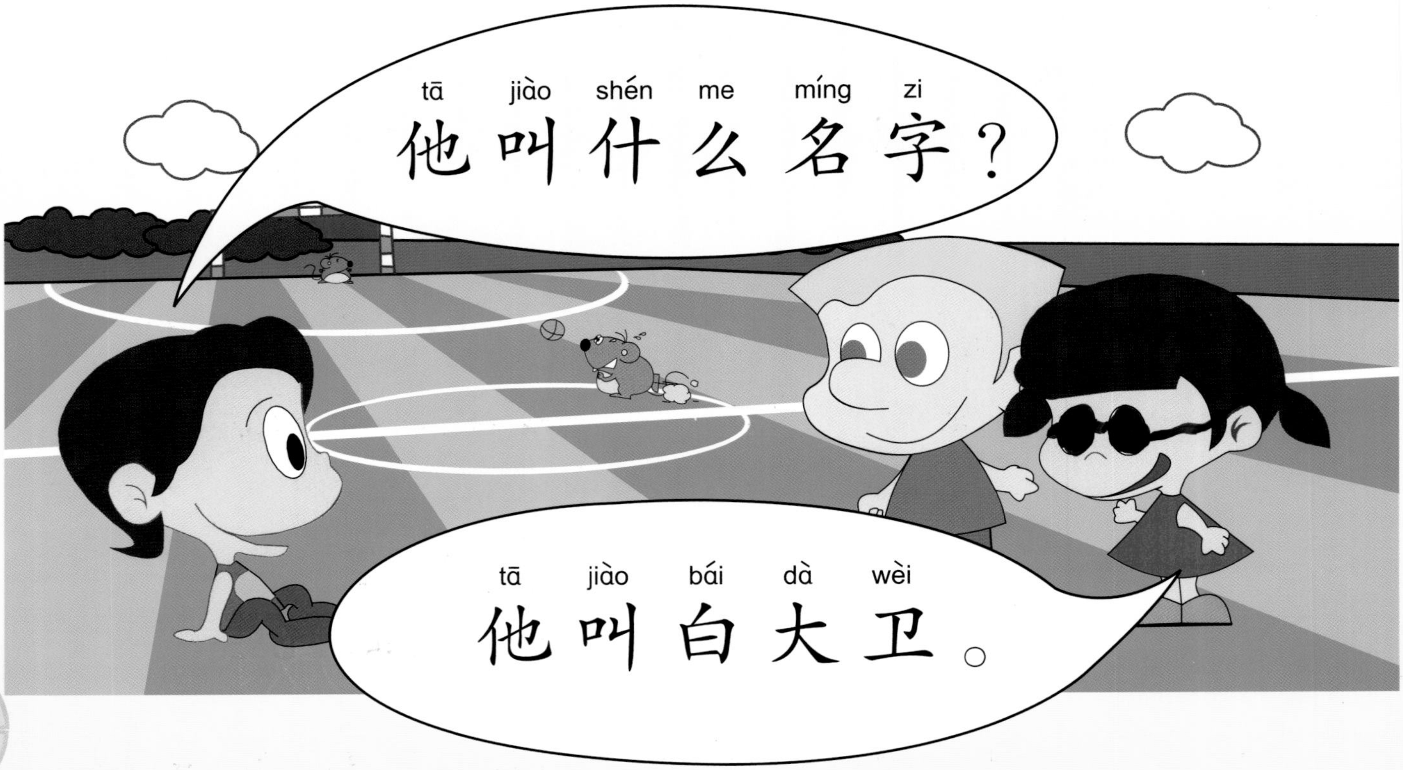
tā jiào shén me míng zi
他叫什么名字？
tā jiào bái dà wèi
他叫白大卫。

tā jiào shén me míng zi
她叫什么名字？
tā jiào bái mǎ lì
她叫白玛丽。

# dì èr kè nǐ jiào shén me míng zi
# 第二课 你叫什么名字？

## jù xíng
## 句型

| | |
|---|---|
| 你叫什么名字？<br>What is your name? | 我叫王小文。<br>My name is WANG Xiaowen. |
| | 我叫李大中。<br>My name is LI Dazhong. |
| 他叫什么名字？<br>What is his name? | 他叫白大卫。<br>His name is BAI Dawei. |
| 她叫什么名字？<br>What is her name? | 她叫白玛丽。<br>Her name is BAI Mali. |

我叫小中。
我叫大文。

## jù xíng liàn xí
## 句型练习

你叫什么名字？
他叫什么名字？

老师 → ________________

你同学 → ________________

王小文，再见。
李大中，再见。

白玛丽 → ________________

老师 → ________________



## rèn dú zì cí
## 认读字词

| | | |
|---|---|---|
| 叫 | jiào | call, is called |
| 什么 | shén me | what |
| 名字 | míng zi | name |
| 王 | wáng | [a family name] |

## rèn dú zì cí
## 认读字词

| | | |
|---|---|---|
| 小文 | xiǎo wén | [a given/first name] |
| 李 | lǐ | [a family name] |
| 大中 | dà zhōng | [a given/first name] |
| 他 | tā | he, him |
| 白 | bái | [a family name] |
| 大卫 | dà wèi | [a given/first name] |
| 她 | tā | she, her |
| 玛丽 | mǎ lì | [a given/first name] |



## xí xiě zì
## 习写字

我 wǒ I, me

他 tā he, him

她 tā she, her

名 míng name

字 zì word

dì sān kè nǐ jǐ suì

# 第三课 你几岁？

yī 一
èr 二
sān 三
liù 六
sì 四
wǔ 五
jiǔ 九
qī 七
bā 八
shí 十

jǐ suì
你几岁？
bā suì ne
我八岁。你呢？
jiǔ suì
我九岁。

# dì sān kè　nǐ jǐ suì
# 第三课　你几岁？

jǐ suì
他几岁？
qī suì
他七岁。
jǐ suì
她几岁？
shí èr suì
她十二岁。

## shì shì kàn
## 试试看 Challenge

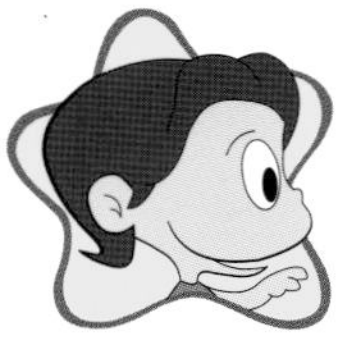 ：你叫什么名字？

 ：我叫王小文。

你叫什么名字？

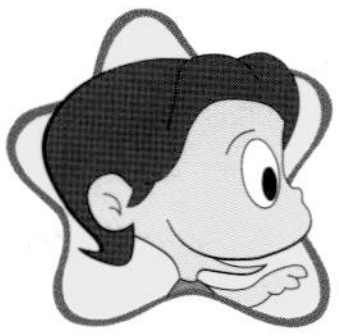 ：我叫李大中。你几岁？

 ：我八岁。你呢？

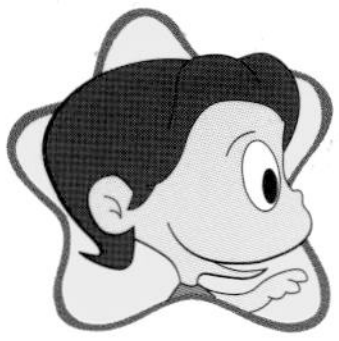 ：我九岁。

我一岁！
你几岁？

jù xíng
## 句型

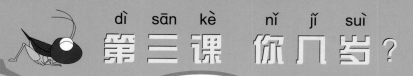

你几岁？
How old are you?

我六岁。
I am six years old.

我八岁。
I am eight years old.

他几岁？
How old is he?

他七岁。
He is seven years old.

她几岁？
How old is she?

她十二岁。
She is twelve years old.



jù xíng
## 句型

我八岁，你呢？
I am eight years old. And you?

我九岁。
I am nine years old.

我叫王小文。你呢？
I am called WANG Xiaowen. And you?

我叫李大中。
I am LI Dazhong.

## jù xíng liàn xí
## 句型练习

你几岁？

她几岁？

老师 → ____________________

王大中 → ____________________

你同学 → ____________________

你叫什么？

他叫什么？

老师 → ____________________

你同学 → ____________________

## rèn dú zì cí
## 认读字词

| | | |
|---|---|---|
| 一 | yī | one |
| 二 | èr | two |
| 三 | sān | three |
| 四 | sì | four |
| 五 | wǔ | five |
| 六 | liù | six |
| 七 | qī | seven |
| 八 | bā | eight |
| 九 | jiǔ | nine |
| 十 | shí | ten |
| 几 | jǐ | how many |
| 岁 | suì | year of age |
| 呢 | ne | [ending word of a question] |
| 几岁 | jǐ suì | how old |

## xí xiě zì
## 习写字

| | | | | |
|---|---|---|---|---|
|  | 一 | yī | one | 一 |
|  | 二 | èr | two | 一 二 |
|  | 三 | sān | three | 一 二 三 |
|  | 四 | sì | four | 丨 冂 门 四 四 |
| 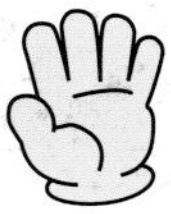 | 五 | wǔ | five | 一 丆 五 五 |
|  | 六 | liù | six | 丶 亠 六 六 |
| 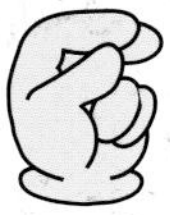 | 七 | qī | seven | 一 七 |
|  | 八 | bā | eight | 丿 八 |
|  | 九 | jiǔ | nine | 丿 九 |
|  | 十 | shí | ten | 一 十 |

dì sì kè nǐ shì nǎ guó rén
# 第四课 你是哪国人？

China
zhōng guó rén
中国人
ào zhōu rén
澳洲人
Australia
England
yīng guó rén
英国人
měi guó rén
美国人
America
Canada
jiā ná dà rén
加拿大人
fǎ guó rén
法国人
France
rì běn rén
日本人
Japan

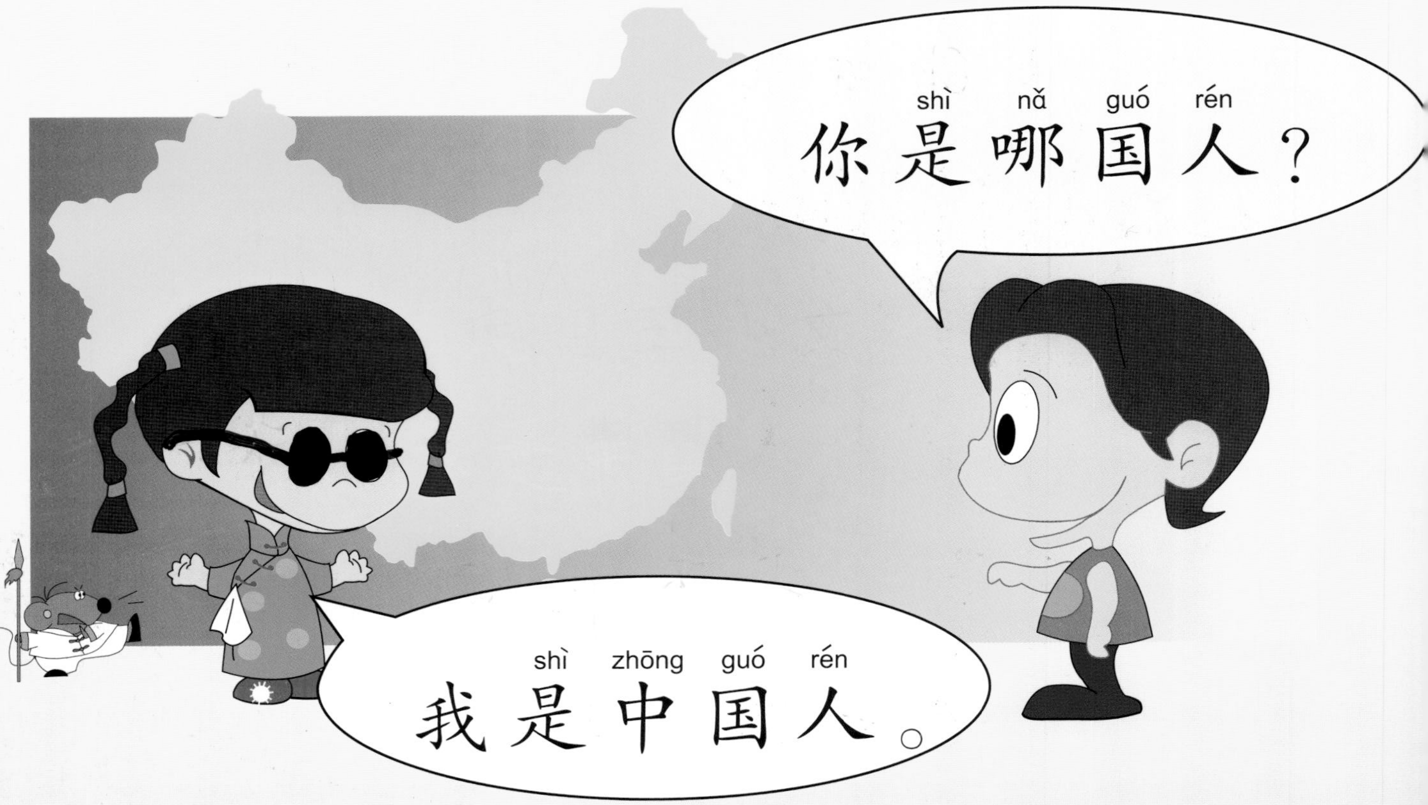
shì nǎ guó rén
你是哪国人？
shì zhōng guó rén
我是中国人。

shì nǎ guó rén
他是哪国人？
shì měi guó rén
他是美国人。

dì sì kè nǐ shì nǎ guó rén

# 第四课 你是哪国人？

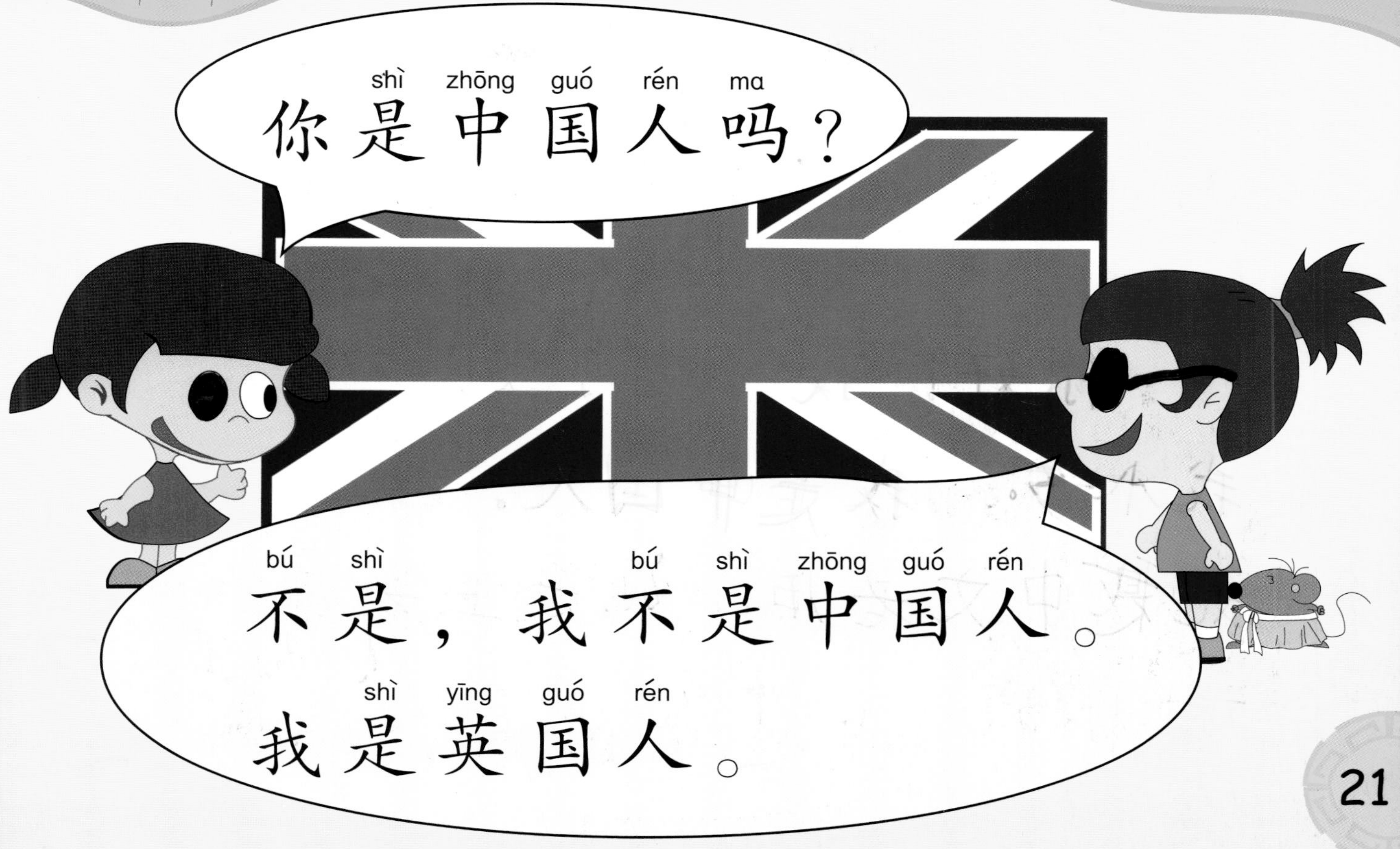
shì zhōng guó rén ma
你是中国人吗？
bú shì bú shì zhōng guó rén
不是，我不是中国人。
shì yīng guó rén
我是英国人。

shì bú shì měi guó rén
她是不是美国人？
bú shì bú shì měi guó rén
不是，她不是美国人。
shì jiā ná dà rén
她是加拿大人。

## shì shì kàn
## 试试看 Challenge

你好！我叫王小文。

我八岁。我是中国人。

她是中文老师，她是王老师。

谢谢！

## dú yì dú
## 读一读

我叫李小英，我是中国人，他叫王大中，他是法国人。我们是同学。王老师是中文老师，他也是中国人，他是好老师。

## jù xíng
## 句型

你是哪国人？

What is your nationality?

你是哪国人?
[redacted]

1. 我是中国人。
   I am Chinese.
2. 我是美国人。
   I am American.
3. 我是加拿大人。
   I am Canadian.

你是中国人吗？

Are you Chinese?

1. 是，我是中国人。
   Yes, I am Chinese.
2. 不是，我不是中国人。我是英国人。
   No, I am not Chinese. I am British.

她是不是美国人？

Is she American?

1. 是，她是美国人。
   Yes, she is American.
2. 不是，她不是美国人。她是加拿大人。
   No, she is not American. She is Canadian.

## jù xíng liàn xí
## 句型练习

他是哪国人？

老师是哪国人？

王大中 → ______________________

王小文 → ______________________

白大卫 → ______________________

白玛丽 → ______________________

你同学 → ______________________

中文老师 → ______________________

你是中国人吗？

她是中国人吗？

老师 → ______________________

王大中 → ______________________

王小文 → ______________________

白大卫 → ______________________

白玛丽 → ______________________

你同学 → ______________________

## rèn dú zì cí
## 认读字词

| | | |
|---|---|---|
| 中国 | zhōng guó | China |
| 人 | rén | person |
| 澳洲 | ào zhōu | Australia |
| 英国 | yīng guó | England, Britain |
| 美国 | měi guó | United States of America |
| 加拿大 | jiā ná dà | Canada |
| 法国 | fǎ guó | France |
| 日本 | rì běn | Japan |
| 是 | shì | yes |
| 哪 | nǎ | which |
| 国 | guó | country |
| 不 | bù | no, not |
| 是不是 | shì bú shì | [a question form - isn't it] |



## xí xiě zì
## 习写字

是 shì is, yes 丨 冂 日 旦 早 早 昰 是

## xí xiě zì
## 习写字

| | | |
|---|---|---|
| 不 | bù | no, not |
| 人 | rén | person |
| 大 | dà | big, large |
| 中 | zhōng | middle, center, medium |
| 小 | xiǎo | small, little |

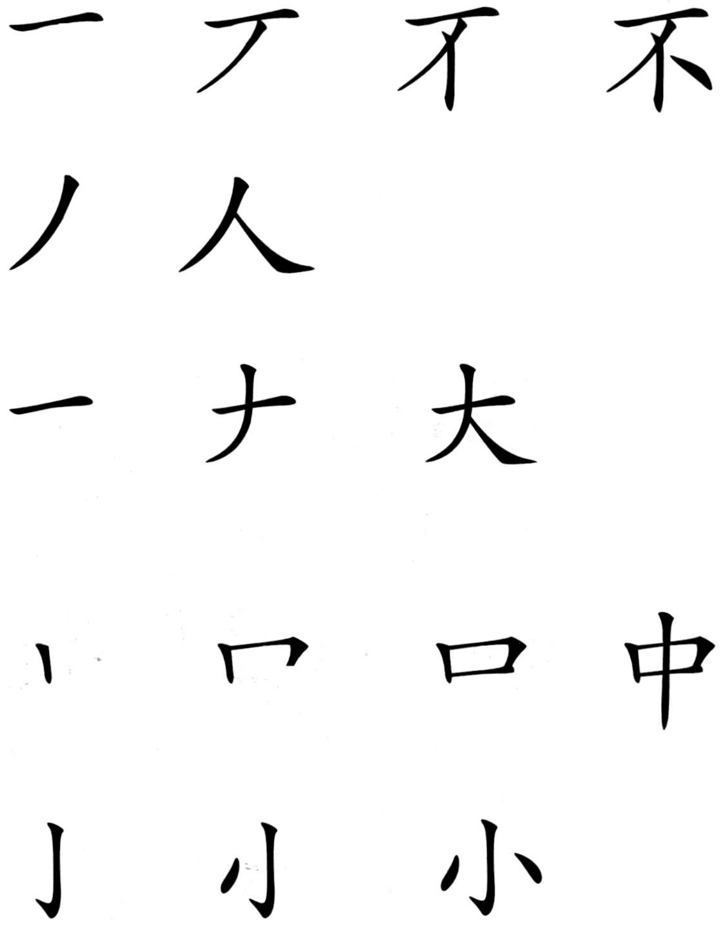

dì wǔ kè　wǒ shàng dà huá xiǎo xué

# 第五课　我上大华小学

大华小学
我上大华小学。
我上大华中学。

dì wǔ kè　wǒ shàng dà huá xiǎo xué

# 第五课　我上大华小学

公共汽车站
BUS STOP
201
shàng ge xué xiào
你上哪个学校？
shàng huá xué
我上大华小学。你呢？
shàng huá xué
我上大华小学。
yě shàng huá xué
你也上大华小学吗？
shàng huá xué
不，我不上大华小学。

dì wǔ kè wǒ shàng dà huá xiǎo xué

# 第五课 我上大华小学

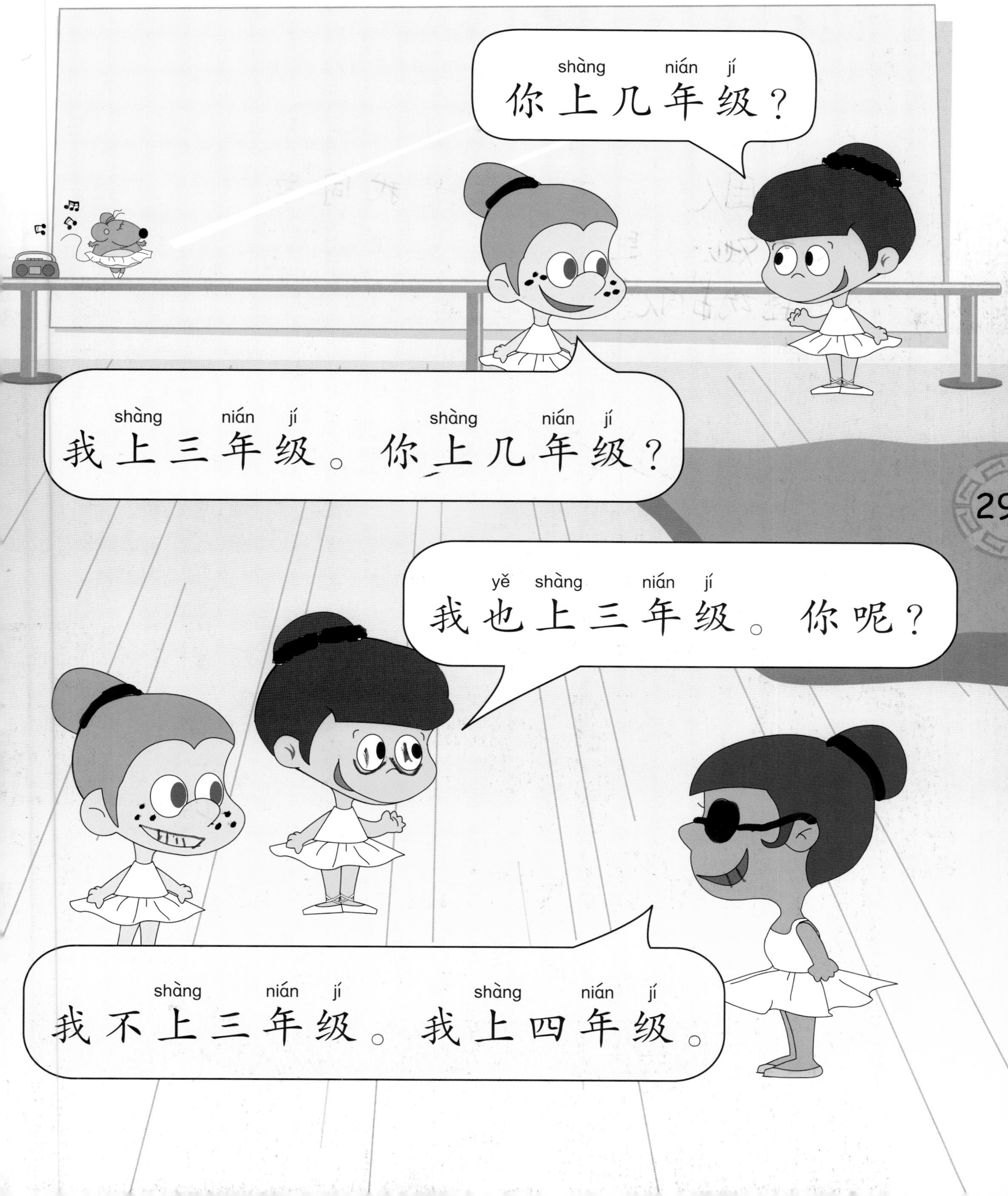
shàng nián jí
你上几年级？
shàng nián jí shàng nián jí
我上三年级。你上几年级？
yě shàng nián jí
我也上三年级。你呢？
shàng nián jí shàng nián jí
我不上三年级。我上四年级。

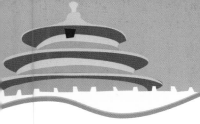

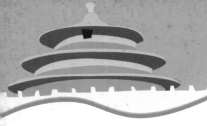

## shì shì kàn 试试看 Challenge

你好！我叫白大卫，我九岁，我是美国人。王小文是我同学，她八岁，她是中国人。谢谢！

## dú yì dú 读一读

我叫李小英，我是中国人，我十岁，我上大华小学四年级。王老师是三年级中文老师，也是四年级中文老师。你上哪个学校？几年级？



## jù xíng 句型

| | |
|---|---|
| 你上哪个学校？<br>Which school do you go to? | 我上大华小学。<br>I go to Dahua Elementary School. |
| 他上哪个学校？<br>Which school does he go to? | 他上加拿大学校。<br>He goes to the Canadian School. |
| 她上哪个学校？<br>Which school does she go to? | 她上美国学校。<br>She goes to the American School. |

jù xíng
## 句型

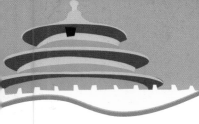

你上几年级？
Which grade are you in?

他上几年级？
Which grade is he in?

她上几年级？
Which grade is she in?

我上三年级。
I am in the third grade.

他上一年级。
He is in the first grade.

她上五年级。
She is in the fifth grade.

jù xíng
## 句型

1. 我上大华小学，他也上大华小学。
   I go to Dahua Elementary School.
   He also goes to Dahua Elementary School.

2. 王小文上大华小学，
   WANG Xiaowen goes to Dahua Elementary School.
   白玛丽也上大华小学。
   BAI Mali also goes to Dahua Elementary School.

3. 我上三年级，她也上三年级。
   I am in the third grade. She is also in the third grade.

4. 白大卫上四年级，
   BAI Dawei is in the fourth grade.
   李大中也上四年级。
   LI Dazhong is also in the fourth grade.

jù xíng liàn xí
## 句型练习

你上什么小学？

王大中 → ________

王小文 → ________

白玛丽 → ________

你同学 → ________



我上六年级，他也上六年级。

我同学 → ________

王大中 → ________

王大中、王小文 → ________

白大卫、白玛丽 → ________

## rèn dú zì cí
## 认读字词

| | | |
|---|---|---|
| 上 | shàng | to go, to attend, up, above |
| 个 | ge | [a measure word or counting word, describes a class of objects] |
| 学校 | xué xiào | school |
| 大华小学 | dà huá xiǎo xué | Dahua elementary school |
| 小学 | xiǎo xué | Elementary school |
| 也 | yě | also, too |
| 年级 | nián jí | grade |



## xí xiě zì
## 习写字

上 shàng to go, to attend, up, above
丨 ⺊ 上

个 ge [a measure word]
丿 人 个

也 yě also, too
乛 乜 也

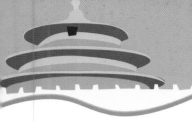

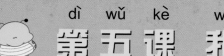

华 huá Chinese
丿 亻 亻丿 化 化一 华

dì liù kè wǒ ài wǒ de jiā

# 第六课 我爱我的家

mā ma
妈妈
sì shí sì suì
四十四岁
bà ba
爸爸
sì shí wǔ suì
四十五岁
gē ge
哥哥
shí wǔ suì
十五岁
wǒ
我
shí suì
十岁
dì di
弟弟
sān suì
三岁
jiě jie
姐姐
shí sān suì
十三岁
mèi mei
妹妹
liǎng suì
两岁

dì liù kè wǒ ài wǒ de jiā

# 第六课 我爱我的家

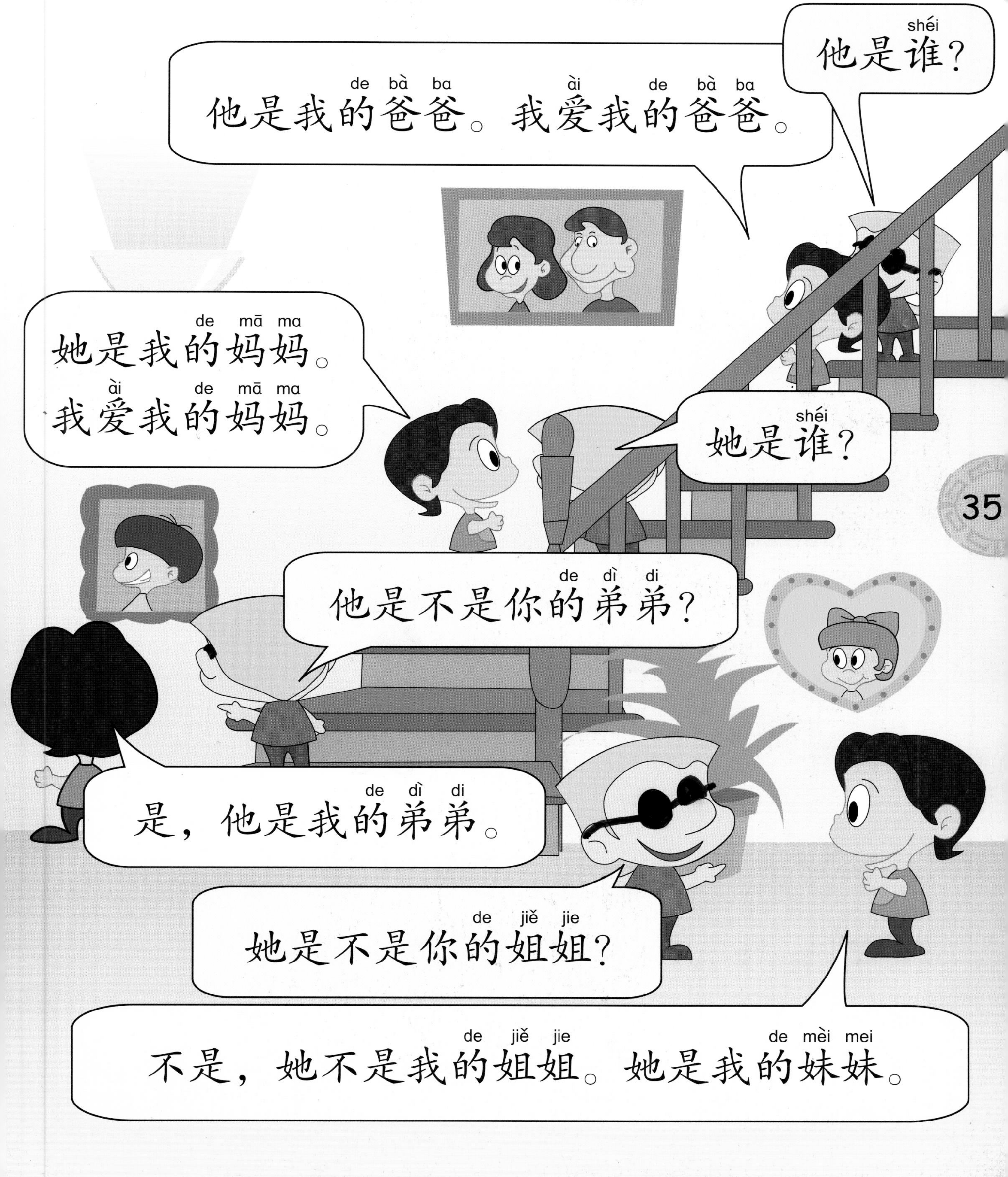

shéi
他是谁？
de bà ba ài de bà ba
他是我的爸爸。我爱我的爸爸。
de mā ma
她是我的妈妈。
ài de mā ma
我爱我的妈妈。
shéi
她是谁？
de dì di
他是不是你的弟弟？
de dì di
是，他是我的弟弟。
de jiě jie
她是不是你的姐姐？
de jiě jie de mèi mei
不是，她不是我的姐姐。她是我的妹妹。

dì liù kè wǒ ài wǒ de jiā
# 第六课 我爱我的家

jiā yǒu
你家有几个人？
jiā yǒu bà ba mā ma gē ge jiě jie hé
我家有五个人，爸爸、妈妈、哥哥、姐姐和我。
zhè shéi
这是谁？
zhè
这是我。

## shì shì kàn
## 试试看 Challenge

我有爸爸、妈妈、一个哥哥、一个姐姐、一个弟弟和一个妹妹。我爱爸爸和妈妈。我也爱哥哥、姐姐、弟弟和妹妹。他们也爱我。我爱我的家。

## dú yì dú
## 读一读

我是中国人。我家有五个人，他们是：爸爸、妈妈、哥哥、姐姐和我。我上大华小学二年级，哥哥上大华小学五年级，姐姐也上大华小学，她上三年级。爸爸妈妈爱我们，我们也爱他们。

jù xíng
## 句型

| | |
|---|---|
| 你家有几个人？<br>How many persons are there in your family? | 我家有五个人。<br>There are five persons in my family. |
| 他家有几个人？<br>How many persons are there in his family? | 他家有三个人。<br>There are three persons in his family. |
| 她家有几个人？<br>How many persons are there in her family? | 她家有四个人。<br>There are four persons in her family. |

jù xíng
## 句型

| | |
|---|---|
| 他是谁？<br>Who is he? | 他是我的爸爸。<br>He is my father. |
| 她是谁？<br>Who is she? | 她是我的妈妈。<br>She is my mother. |
| 你是谁？<br>Who are you? | 我是李大中。<br>I am LI Dazhong. |

jù xíng
## 句型

这是谁？
Who is this?

这是我。
This is me.

这是我的爸爸。
This is my father.

这是王小文。
This is WANG Xiaowen.

jù xíng
## 句型

我爱我的家。
I love my family.

我爱我的哥哥。
I love my big brother.

我爱我的妈妈。
I love my mother.

我爱我的妹妹。
I love my little sister.

jù xíng liàn xí
## 句型练习

你家有几个人？

王大中家有几个人？

王老师 → ________________

白玛丽 → ________________

你同学 → ________________

## jù xíng liàn xí
## 句型练习

这是我的爸爸，他是美国人。

这是我的同学，她是英国人。

王大中、法国 → ____________________

王大中的老师、中国 → ____________________

白玛丽的妈妈、日本 → ____________________

我是中国人，我爱中国。

王大中是法国人，他爱法国。

老师、他、美国 → ____________________

白玛丽、她、法国 → ____________________

他、他、日本 → ____________________

他是我的哥哥，不是我弟弟。

她是我的同学，不是我妹妹。

王大中、弟弟 → ____________________

我姐姐、妹妹 → ____________________

我老师、妈妈 → ____________________

## rèn dú zì cí
## 认读字词

| | | |
|---|---|---|
| 妈妈 | mā ma | mother |
| 爸爸 | bà ba | father |
| 哥哥 | gē ge | elder brother |
| 弟弟 | dì di | younger brother |
| 姐姐 | jiě jie | elder sister |
| 妹妹 | mèi mei | younger sister |
| 两 | liǎng | two |
| 谁 | shéi | who |
| 的 | de | [a possessive particle used after a pronoun, noun or adjective]: 's |
| 爱 | ài | to love |
| 我的 | wǒ de | my, mine |
| 家 | jiā | family, home |
| 有 | yǒu | have (has), there are (is) |
| 几个 | jǐ ge | how many, a few |
| 和 | hé | and |
| 这 | zhè | this |

xí xiě zì
## 习写字

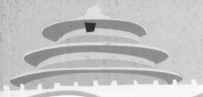

谁 shéi who
丶 讠 讠' 讠' 讠' 讠' 讠'
讠' 讠' 谁

的 de [a possessive particle used after a pronoun or noun]
丿 亻 冂 白 白 白' 的 的

有 yǒu have (has), there are (is)
一 ナ 𠂇 冇 有 有

爸 bà father
丿 八 父 父 父 爷 爸 爸

妈 mā mother
𡿨 女 女 女 妈 妈

和 hé and
丿 二 千 禾 禾 禾 和 和

家 jiā family
丶 丶 宀 宀 宀 宀 宀
家 家 家

dì qī kè nǐ zhù zài nǎ li

# 第七课 你住在哪里？

公园路
公园
医院
爱华大楼
电影院
大华街
大华中学
大华小学
图书馆
小学路
Cafe

# dì qī kè nǐ zhù zài nǎ li
# 第七课 你住在哪里？

zhù zài li
你住在哪里？
zhù zài jiē hào
我住在大华街10号。
zhǎng zhù zài li
李校长住在哪里？
zhǎng zhù zài lù hào lóu
李校长住在小学路35号三楼。
zhù zài lù
王老师也住在小学路吗？
zhù zài lù zhù zài gōng yuán lù
不，她不住在小学路，她住在公园路。

## shì shì kàn
## 试试看 Challenge

我家有七个人，爸爸、妈妈、哥哥、姐姐、弟弟、妹妹和我。我们住在大华街。

我的爸爸是美国人，他四十五岁。我的妈妈是中国人，她四十四岁。我的哥哥十五岁，他上大华中学十年级。我的姐姐十三岁，她也上大华中学，她上八年级。我十岁，上大华小学二年级。弟弟三岁，妹妹两岁，他们不上学。

我爱我的爸爸，我爱我的妈妈，我也爱我的哥哥、姐姐、弟弟和妹妹。

我爱我的家。

## dú yì dú
## 读一读

我的同学叫白大卫，他的爸爸是美国人，他们住在公园路。他住的是大楼，大楼叫“爱华大楼”。他们住十二楼。我家也在公园路，我们不住大楼。我家是十五号。

jù xíng
## 句型

| 你住在哪里？<br>Where do you live? | 我住在大华街10号。<br>I live at 10 Dahua Street. |
|---|---|
| 李校长住在哪里？<br>Where does Principal LI live? | 1. 李校长住在小学路35号三楼。<br>Principal LI lives on 3rd Floor, 35 Xiaoxue Road.<br>2. 他住在小学路35号三楼。<br>He lives on 3rd Floor, 35 Xiaoxue Road. |
| 王老师住在哪里？<br>Where dose Ms. WANG live? | 1. 王老师住在公园路52号。<br>Ms. WANG lives at 52 Park Road.<br>2. 她住在公园路52号。<br>She lives at 52 Park Road. |



jù xíng liàn xí
## 句型练习

他是谁？

这是谁？

王大中 → ______________________

校长 → ______________________

老师 → ______________________

## jù xíng liàn xí
## 句型练习

他不在中国，他在美国。

爸爸不在美国，他在中国。

大卫的家、法国、中国 → ______

王老师、家、学校 → ______

李校长、学校、家 → ______

我住三楼，不住四楼。

王大中住三楼，不住二楼。

老师、七楼 → ______

校长、六楼 → ______

他、五楼 → ______

你住在哪里？

王大中住在哪里？

白大卫 → ______

你同学 → ______

王老师 → ______

## rèn dú zì cí
## 认读字词

| | | |
|---|---|---|
| 住 | zhù | to live |
| 在 | zài | at, in, on |
| 哪里 | nǎ li | where |
| 大华街 | dà huá jiē | Dahua street |
| 街 | jiē | street |
| 号 | hào | number, day |
| 校长 | xiào zhǎng | principal |
| 路 | lù | road |
| 楼 | lóu | floor |
| 公园 | gōng yuán | park |



## xí xiě zì
## 习写字

在 zài at, in, on
一 ナ 𠂇 𠂇 存 在

哪 nǎ where
丨 ㄇ 口 叮 叮 叮 明 明 明⻏ 哪

xí xiě zì
## 习写字

里 lǐ inside　丨 冂 日 日 甲 甲 里

住 zhù to live　丿 亻 亻 亻 仁 仁 住

老 lǎo old　一 十 土 耂 耂 老

师 shī teacher　丨 刂 刂 刂 师 师

# 第八课 今天是几月几日？

| | | | | | | |
|---|---|---|---|---|---|---|
| | | 1 | 2 | 3 | 4 | 5 |
| 6 | 7 | 8 | 9 | 10 | 11 | 12 |
| 13 | 14 | 15 | 16 | 17 | 18 | 19 |
| 20 | 21 | 22 | 23 | 24 | 25 | 26 |
| 27 | 28 | 29 | 30 | 31 | | |

| | | | | | | |
|---|---|---|---|---|---|---|
| | | | | | 1 | 2 |
| 3 | 4 | 5 | 6 | 7 | 8 | 9 |
| 10 | 11 | 12 | 13 | 14 | 15 | 16 |
| 17 | 18 | 19 | 20 | 21 | 22 | 23 |
| 24 | 25 | 26 | 27 | 28 | 29 | |

| | | | | | | |
|---|---|---|---|---|---|---|
| | | | | | | 1 |
| 2 | 3 | 4 | 5 | 6 | 7 | 8 |
| 9 | 10 | 11 | 12 | 13 | 14 | 15 |
| 16 | 17 | 18 | 19 | 20 | 21 | 22 |
| 23 | 24 | 25 | 26 | 27 | 28 | 29 |
| 30 | 31 | | | | | |

| | | | | | | |
|---|---|---|---|---|---|---|
| | | 1 | 2 | 3 | 4 | 5 |
| 6 | 7 | 8 | 9 | 10 | 11 | 12 |
| 13 | 14 | 15 | 16 | 17 | 18 | 19 |
| 20 | 21 | 22 | 23 | 24 | 25 | 26 |
| 27 | 28 | 29 | 30 | | | |

| | | | | | | |
|---|---|---|---|---|---|---|
| | | | | 1 | 2 | 3 |
| 4 | 5 | 6 | 7 | 8 | 9 | 10 |
| 11 | 12 | 13 | 14 | 15 | 16 | 17 |
| 18 | 19 | 20 | 21 | 22 | 23 | 24 |
| 25 | 26 | 27 | 28 | 29 | 30 | 31 |

| | | | | | | |
|---|---|---|---|---|---|---|
| 1 | 2 | 3 | 4 | 5 | 6 | 7 |
| 8 | 9 | 10 | 11 | 12 | 13 | 14 |
| 15 | 16 | 17 | 18 | 19 | 20 | 21 |
| 22 | 23 | 24 | 25 | 26 | 27 | 28 |
| 29 | 30 | | | | | |

| | | | | | | |
|---|---|---|---|---|---|---|
| | | 1 | 2 | 3 | 4 | 5 |
| 6 | 7 | 8 | 9 | 10 | 11 | 12 |
| 13 | 14 | 15 | 16 | 17 | 18 | 19 |
| 20 | 21 | 22 | 23 | 24 | 25 | 26 |
| 27 | 28 | 29 | 30 | 31 | | |

| | | | | | | |
|---|---|---|---|---|---|---|
| | | | | | 1 | 2 |
| 3 | 4 | 5 | 6 | 7 | 8 | 9 |
| 10 | 11 | 12 | 13 | 14 | 15 | 16 |
| 17 | 18 | 19 | 20 | 21 | 22 | 23 |
| 24 | 25 | 26 | 27 | 28 | 29 | 30 |
| 31 | | | | | | |

| | | | | | | |
|---|---|---|---|---|---|---|
| | 1 | 2 | 3 | 4 | 5 | 6 |
| 7 | 8 | 9 | 10 | 11 | 12 | 13 |
| 14 | 15 | 16 | 17 | 18 | 19 | 20 |
| 21 | 22 | 23 | 24 | 25 | 26 | 27 |
| 28 | 29 | 30 | | | | |

| | | | | | | |
|---|---|---|---|---|---|---|
| | | | 1 | 2 | 3 | 4 |
| 5 | 6 | 7 | 8 | 9 | 10 | 11 |
| 12 | 13 | 14 | 15 | 16 | 17 | 18 |
| 19 | 20 | 21 | 22 | 23 | 24 | 25 |
| 26 | 27 | 28 | 29 | 30 | 31 | |

| | | | | | | |
|---|---|---|---|---|---|---|
| | | | | | | 1 |
| 2 | 3 | 4 | 5 | 6 | 7 | 8 |
| 9 | 10 | 11 | 12 | 13 | 14 | 15 |
| 16 | 17 | 18 | 19 | 20 | 21 | 22 |
| 23 | 24 | 25 | 26 | 27 | 28 | 29 |
| 30 | | | | | | |

| | | | | | | |
|---|---|---|---|---|---|---|
| | 1 | 2 | 3 | 4 | 5 | 6 |
| 7 | 8 | 9 | 10 | 11 | 12 | 13 |
| 14 | 15 | 16 | 17 | 18 | 19 | 20 |
| 21 | 22 | 23 | 24 | 25 | 26 | 27 |
| 28 | 29 | 30 | 31 | | | |

# dì bā kè jīn tiān shì jǐ yuè jǐ rì
# 第八课 今天是几月几日？

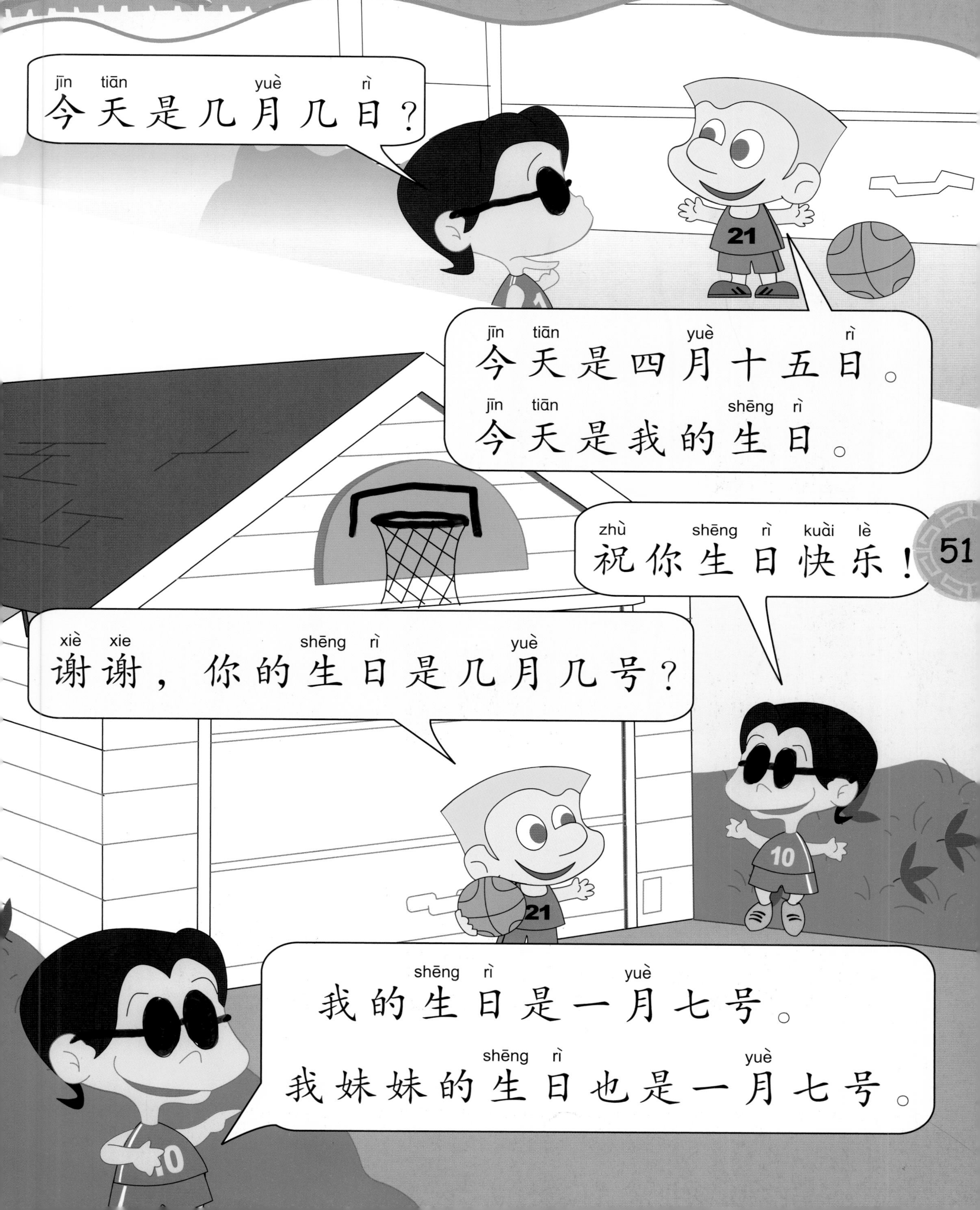
jīn tiān yuè rì
今天是几月几日？
jīn tiān yuè rì
今天是四月十五日。
jīn tiān shēng rì
今天是我的生日。
zhù shēng rì kuài lè
祝你生日快乐！
xiè xie shēng rì yuè
谢谢，你的生日是几月几号？
shēng rì yuè
我的生日是一月七号。
shēng rì yuè
我妹妹的生日也是一月七号。

## shì shì kàn
## 试试看 Challenge

我家有四个人，爸爸、妈妈、哥哥和我。我的爸爸是中国人，他四十五岁，他的生日是六月十二日。我的妈妈是法国人，她四十四岁，她的生日也在六月，是二十五日。我的哥哥十五岁，他上大华中学九年级。他一九九三年生，生日是七月四日。我一九九九年生，今年九岁，上大华小学三年级，我的生日是二月六号。

你是哪一年生的？你的生日是几月几号？你上哪个学校？几年级？

## dú yì dú
## 读一读

白大卫的哥哥是一九九二年生，他今年十六岁，上大华中学，他是中学生。白大卫的弟弟是一九九八年生，他今年十岁，上大华小学，他是小学生。我和白大卫上同一个学校，学校叫“大华小学”，我们是同学。白大卫住公园路的“爱华大楼”，我也住“爱华大楼”，我们住同一个大楼，他住五楼，我住三楼。



## jù xíng
## 句型

今天是几月几日？
What date is today?

今天是六月八日。
Today is June 8th.

今天是四月十二日。
Today is April 12th.

jù xíng
句型

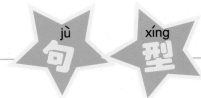

你的生日是几月几号？
When is your birthday?

我的生日是三月二十九号。
My birthday is March 29th.

他的生日是几月几号？
When is his birthday?

他的生日是二月十七号。
His birthday is February 17th.

王小文的生日是几月几号？
When is WANG Xiaowen's birthday?

王小文的生日是七月二十号。
WANG Xiaowen's birthday is July 20th.



jù xíng
句型

祝你生日快乐！
Happy birthday to you !

祝爸爸生日快乐！
Happy birthday to Daddy !

祝妹妹生日快乐！
Happy birthday to Little Sister !

## jù xíng liàn xí
## 句型练习

你的生日是几月几号？

王大中的生日是几月几号？

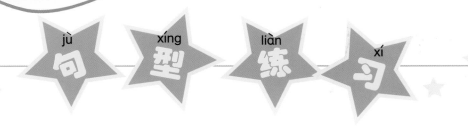

王校长 → 王校长的生日是几月几号

爸爸 → 爸爸的生日是几月几号

他妹妹 → 他妹妹的生日是几月几号

王老师家几楼？

你家几号？

小文的生日、号 → ____________

王老师家、楼 → ____________

校长家、楼 → ____________

祝你生日快乐！

祝爸爸生日快乐！

老师 → ____________

校长 → ____________

姐姐 → ____________

## jù xíng liàn xí
## 句型练习

他是哪一年生的？
她是哪一年级？

王小文、年级 → ______________________

弟弟、年、生 → ______________________

白大卫、个 → ______________________



## rèn dú zì cí
## 认读字词

| | | |
|---|---|---|
| 年 | nián | year |
| 今天 | jīn tiān | today |
| 月 | yuè | month, the moon |
| 日 | rì | day, the sun |
| 生日 | shēng rì | birthday |
| 祝 | zhù | to wish |
| 快乐 | kuài lè | happy |

xí xiě zì
## 习写字

| | | |
|---|---|---|
| 日 | rì day, the sun | 丨 冂 月 日 |
| 月 | yuè month, the moon | 丿 ⺆ 月 月 |
| 生 | shēng birth | 丿 𠂉 𠂉 牛 生 |
| 今 | jīn today, now | 丿 人 亼 今 |
| 年 | nián year | 丿 𠂉 𠂉 𠂉 𠂉 年 |

dì jiǔ kè jīn tiān shì xīng qī jǐ

# 第九课 今天是星期几?

2005
2007
2006
2008

| 星期日 | 星期一 | 星期二 | 星期三 | 星期四 | 星期五 | 星期六 |
|---|---|---|---|---|---|---|
| | | 1 | 2 | 3 | 4 | 5 |
| 6 | 7 | 8 | 9 | 10 | 11 | 12 |
| 13 | 14 | 15 | 16 | 17 | 18 | 19 |
| 20 | 21 | 22 | 23 | 24 | 25 | 26 |
| 27 | 28 | 29 | 30 | 31 | | |

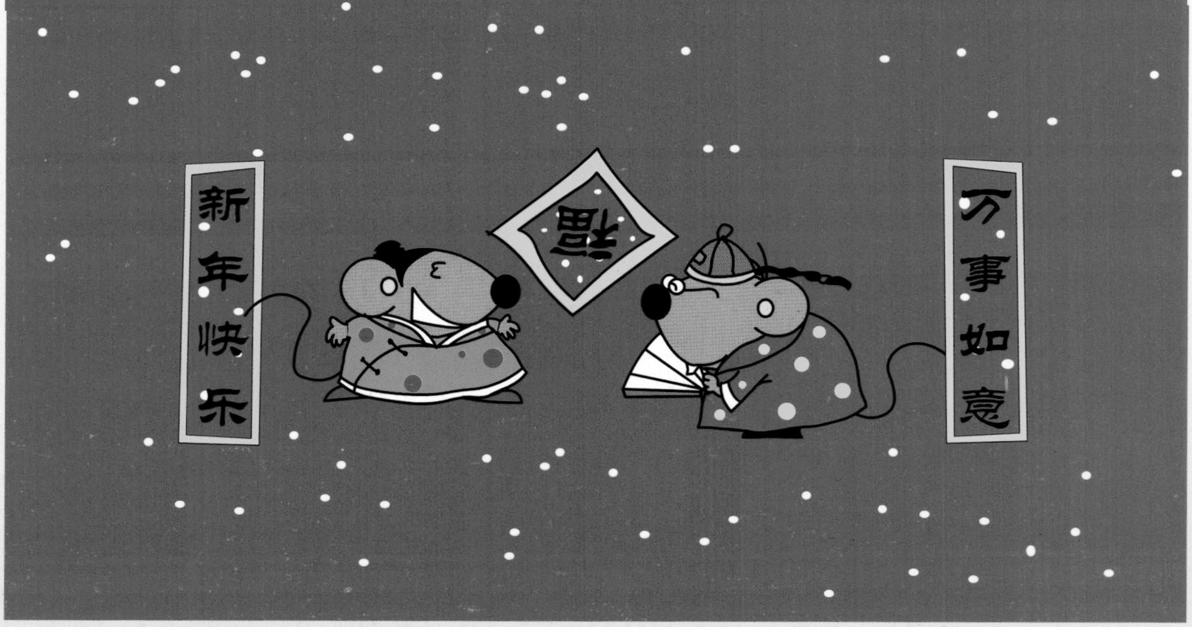
新年快乐
福
万事如意

## dì jiǔ kè jīn tiān shì xīng qī jǐ
# 第九课 今天是星期几？

xīng qī
今天是星期几？
xīng qī
今天是星期六。
zuó xīng qī
昨天是星期几？
zuó xīng qī
昨天是星期五。
míng xīng qī
明天是星期几？
míng xīng qī
明天是星期日。

dì jiǔ kè jīn tiān shì xīng qī jǐ

# 第九课 今天是星期几？

xīng qī
今天是星期四吗？
2008
十月
16
星期四
是，今天是星期四。
2008年 十月
星期日 星期一 星期二 星期三 星期四 星期五 星期六
1 2 3 4
5 6 7 8 9 10 11
12 13 14 15 16 17 18
19 20 21 22 23 24 25
26 27 28 29 30 31
míng xīng qī
明天是不是星期六？
míng xīng qī míng xīng qī
不是，明天不是星期六。明天是星期五。

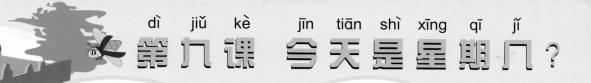

## shì shì kàn
## 试试看 Challenge

今天是二零零八年三月十七日。今天是星期一。今天也是我的生日，大家祝我生日快乐。明天是妹妹的生日，我们也祝她生日快乐。

## dú yì dú
## 读一读

我是“大华小学”的学生，我们星期六和星期日不上学。今天是不是星期六？今天上不上学？

姐姐是“大华中学”的学生，她的学校在公园路，她们星期六和星期日也不上学。她爱她的学校、老师和同学，她上学很快乐。你的学校在哪里？你的学校大不大？

jù xíng
句型

今天是星期几？
What day is it today?

今天是星期六。
Today is Saturday.

昨天是星期几？
What day was it yesterday?

昨天是星期五。
Yesterday was Friday.

明天是星期几？
What day is it tomorrow?

明天是星期日。
Tomorrow is Sunday.

jù xíng
句型

今天是星期五吗？
Is it Friday today?

是，今天是星期五。
Yes, today is Friday.

明天是星期六吗？
Is it Saturday tomorrow?

不是，明天不是星期六。
No, tomorrow is not Saturday.

明天是星期五。
Tomorrow is Friday.

昨天是星期二吗？
Was yesterday Tuesday?

不是。昨天是星期四。
No. Yesterday was Thursday.

昨天是不是星期四？
Was it Thursday yesterday?

是，昨天是星期四。
Yes, yesterday was Thursday.

今天是不是星期三？
Is it Wednesday today?

不是。今天是星期五。
No. Today is Friday.

明天是不是星期天？
Is it Sunday tomorrow?

不是，明天不是星期天。
明天是星期一。
No, tomorrow is not Sunday.
Tomorrow is Monday.

## jù xíng liàn xí
## 句型练习

昨天是四号。

星期二是八号。

九月六日、星期四 → ____________

爸爸生日、三月十七号 → ____________

明天、妈妈的生日 → ____________

今天是不是星期四？

你生日是不是下星期？

五月三号、星期日 → ____________

王老师、中国人 → ____________

李大中、小学生 → ____________

这是我的爸爸。

这是我的学校。

同学 → ____________

校长 → ____________

家人 → ____________

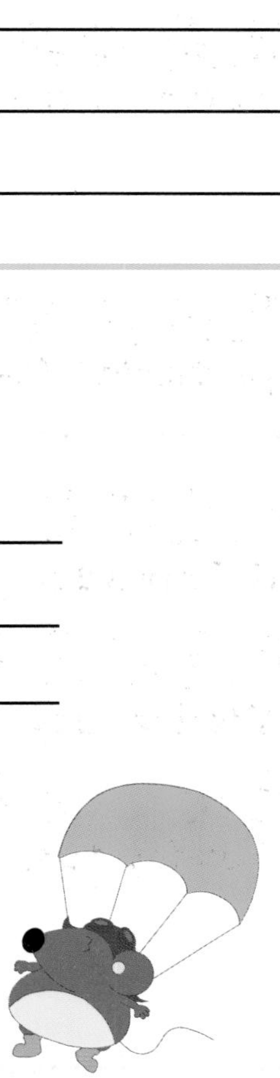

# dì jiǔ kè jīn tiān shì xīng qī jǐ
# 第九课 今天是星期几?

## rèn dú zì cí
## 认读字词

| | | |
|---|---|---|
| 星期日(天) | xīng qī rì (tiān) | Sunday |
| 星期一 | xīng qī yī | Monday |
| 星期二 | xīng qī èr | Tuesday |
| 星期三 | xīng qī sān | Wednesday |
| 星期四 | xīng qī sì | Thursday |
| 星期五 | xīng qī wǔ | Friday |
| 星期六 | xīng qī liù | Saturday |
| 零 | líng | zero |
| 星期 | xīng qī | week |
| 昨天 | zuó tiān | yesterday |
| 明天 | míng tiān | tomorrow |



## xí xiě zì
## 习写字

明 míng tomorrow

丨 冂 月 日 日丿 明 明 明

xí xiě zì
## 习写字

昨 zuó yesterday

天 tiān day, sky

星 xīng star

期 qī a period of time

吗 ma [ending word of a question]

dì shí kè　shū bāo lǐ yǒu shén me

# 第十课　书包里有什么？



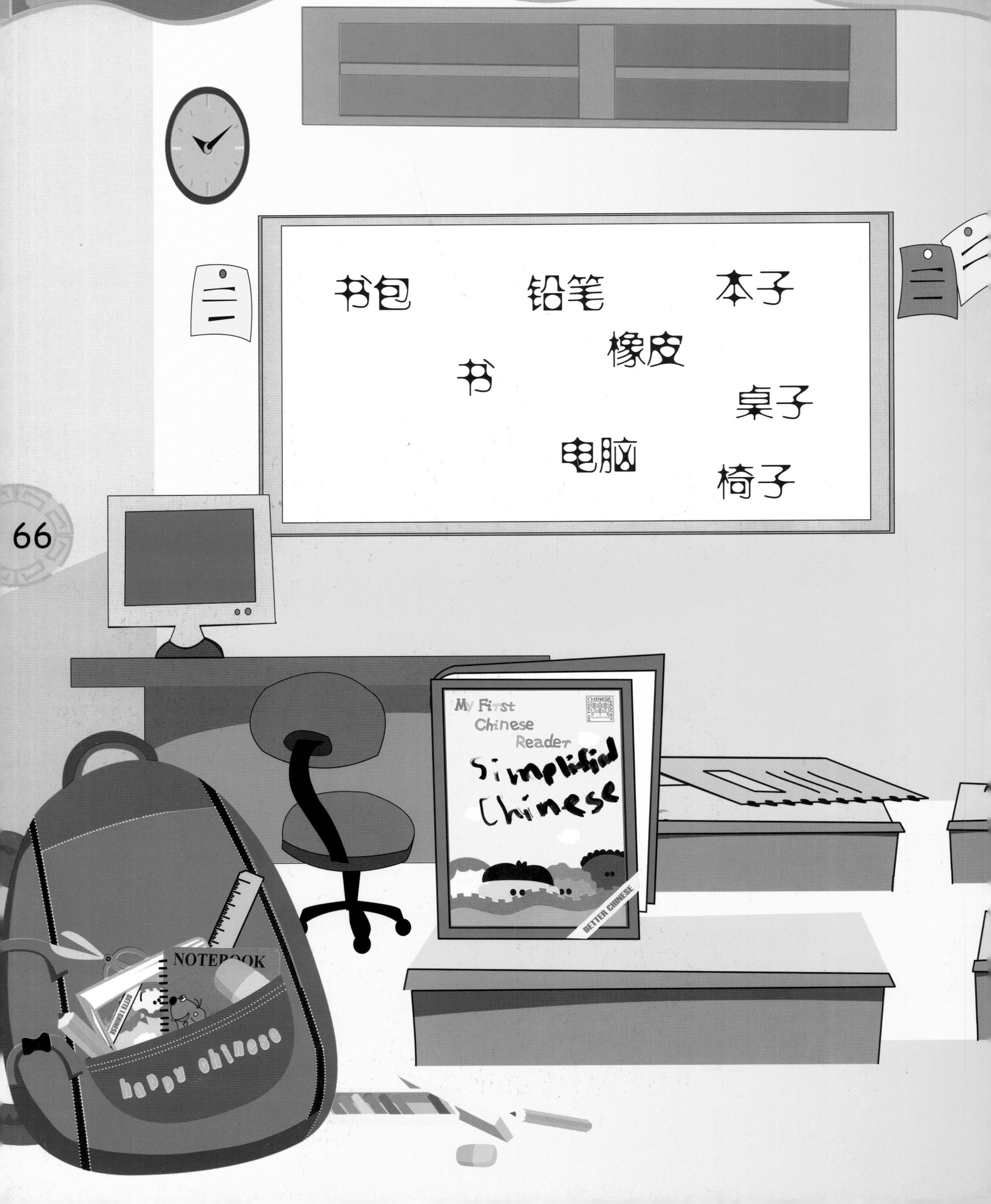
书包
铅笔
本子
橡皮
书
桌子
电脑
椅子
My First Chinese Reader
Simplified Chinese
BETTER CHINESE
NOTEBOOK
happy chinese

dì shí kè shū bāo lǐ yǒu shén me

# 第十课 书包里有什么？

这是什么？
shū bāo
这是书包。
shū bāo
这是谁的书包？
shū bāo
这是我的书包。
NOTEBOOK
BETTER CHINESE
shū bāo
书包里有什么？
shū bāo shū běn zi
书包里有书、本子、
qiān bǐ xiàng pí
铅笔和橡皮。

dì shí kè shū bāo lǐ yǒu shén me
# 第十课 书包里有什么？

nà
那是什么？
nà jiào shì
那是教室。
nà jiào shì
那是谁的教室？
nà jiào shì
那是王老师的教室。
你好！
jiào shì
教室里有什么？
jiào shì zhuō zi yǐ zi bái bǎn
教室里有桌子、椅子和白板。

## shì shì kàn
## 试试看 Challenge

我有一个书包。书包里有书、本子、铅笔和橡皮。教室里有老师，有学生，教室里也有桌子和椅子。

## dú yì dú
## 读一读

我的学校很大，我的学校叫"大华小学"，在小学路上。我们的校长是王校长。我爱上学，我爱我的学校。

我今年上四年级，我有三十一个同学。我们的教室有白板、桌子和椅子。我们有三个老师，他们是：李老师、王老师和白老师。他们是好老师，他们爱学生，我们也爱老师。大家上学很快乐。

我的书包里有三本书和四本本子，我的书包上有我的名字，我的本子上也有我的名字，我的名字是白玛丽。

## jù xíng
## 句型

| | |
|---|---|
| 这是什么？<br>What is this? | 这是书包。<br>This is a backpack.<br>这是本子。<br>This is a notebook. |
| 那是什么？<br>What is that? | 那是教室。<br>That is a classroom.<br>那是桌子。<br>That is a desk. |
| 这是谁的书包？<br>Whose backpack is this? | 这是我的书包。<br>This is my backpack.<br>这是王小文的书包。<br>This is WANG Xiaowen's backpack. |
| 那是谁的教室？<br>Whose classroom is that? | 那是王老师的教室。<br>That is Ms. WANG's classroom.<br>那是我的教室。<br>That is my classroom. |
| 书包里有什么？<br>What is in the backpack? | 书包里有书、本子、铅笔和橡皮。<br>There are books, notebooks, pencils and an eraser in the backpack. |
| 教室里有什么？<br>What is in the classroom? | 教室里有桌子、椅子和白板。<br>There are desks, chairs and whiteboard in the classroom. |

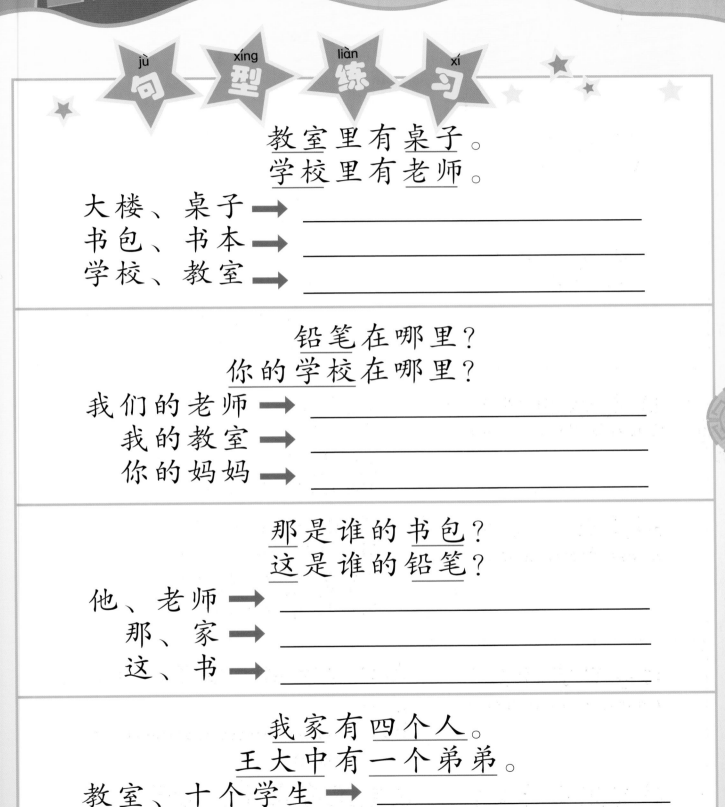

## jù xíng liàn xí
## 句型练习

教室里有桌子。
学校里有老师。

大楼、桌子 → ____________________

书包、书本 → ____________________

学校、教室 → ____________________

铅笔在哪里？
你的学校在哪里？

我们的老师 → ____________________

我的教室 → ____________________

你的妈妈 → ____________________

那是谁的书包？
这是谁的铅笔？

他、老师 → ____________________

那、家 → ____________________

这、书 → ____________________

我家有四个人。
王大中有一个弟弟。

教室、十个学生 → ____________________

一星期、七天 → ____________________

学校、十二个老师 → ____________________

# dì shí kè shū bāo lǐ yǒu shén me
# 第十课 书包里有什么？

## rèn dú zì cí
## 认读字词

| | | |
|---|---|---|
| 书包 | shū bāo | backpack, school bag, book bag |
| 里 | lǐ | inside, in |
| 书 | shū | book |
| 本子 | běn zi | notebook |
| 铅笔 | qiān bǐ | pencil |
| 橡皮 | xiàng pí | eraser |
| 那 | nà | that |
| 教室 | jiào shì | classroom |
| 桌子 | zhuō zi | desk, table |
| 椅子 | yǐ zi | chair |
| 白板 | bái bǎn | whiteboard |



## xí xiě zì
## 习写字

这 zhè this　丶 亠 亣 文 文 这 这

dì shí kè shū bāo lǐ yǒu shén me

# 第十课 书包里有什么？

xí xiě zì

## 习写字

| | | |
|---|---|---|
| 那 | nà<br>that | 𠃌 ⺕ ⺕ 冄 那 那 |
| 书 | shū<br>book | 乛 ㇉ 书 书 |
| 包 | bāo<br>bag | 丿 勹 勺 匀 包 |
| 白 | bái<br>white | 丿 𠂆 ⺆ 白 白 |
| 本 | běn<br>notebook | 一 十 才 木 本 |

NOTEBOOK

dì shí yī kè wǒ xǐ huān chī shuǐ guǒ

# 第十一课 我喜欢吃水果

dì shí yī kè wǒ xǐ huān chī shuǐ guǒ

# 第十一课 我喜欢吃水果

xǐ huān chī shuǐ guǒ
你喜欢吃什么水果？

xǐ huān chī píng guǒ
我喜欢吃苹果，
xǐ huān chī lí
也喜欢吃梨。

xǐ huān chī xiāng jiāo
你喜欢吃香蕉吗？

xǐ huān chī xiāng jiāo
我不喜欢吃香蕉。你呢？

xǐ huān
我也不喜欢。

xǐ huān xǐ huān chī cǎo méi
你喜欢不喜欢吃草莓？

xǐ huān chī cǎo méi
我很喜欢吃草莓。

# dì shí yī kè wǒ xǐ huān chī shuǐ guǒ
# 第十一课 我喜欢吃水果

## shì shì kàn
## 试试看 Challenge

桌子上有很多水果，有苹果、香蕉、梨，也有草莓、橘子、葡萄和西瓜。王小文喜欢吃苹果，她也喜欢吃梨。李大中喜欢吃草莓，不喜欢吃梨。白大卫喜欢吃橘子和葡萄。白玛丽喜欢吃香蕉，她也不喜欢吃梨。他们喜欢吃西瓜。我不喜欢吃西瓜。你喜欢吃什么水果？



## dú yì dú
## 读一读

这是谁的书包？有名字吗？这是谁的书？
你喜欢这本书吗？

这个橘子很大，你喜欢吃橘子吗？橘子好吃吗？

西瓜大，橘子小，我喜欢吃西瓜，也喜欢吃橘子。
弟弟不爱吃橘子，他喜欢吃苹果。
你喜欢什么水果？ 你天天吃水果吗？

## jù xíng
## 句型

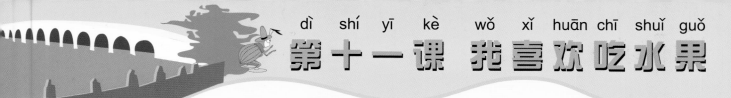

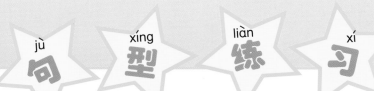

你喜欢吃什么水果？
What kind of fruit do you like to eat?

我喜欢吃苹果。
I like to eat apples.

我喜欢吃葡萄。
I like to eat grapes.

你喜欢吃香蕉吗？
Do you like bananas?

我喜欢吃香蕉。
I like bananas.

我不喜欢吃香蕉。
I do not like bananas.

你喜欢不喜欢吃草莓？
Do you like strawberries or not?

我很喜欢吃草莓。
I like strawberries very much.

我不喜欢吃草莓。
I don't like strawberries.



## jù xíng liàn xí
## 句型练习

我喜欢吃水果。

老师喜欢吃橘子。

我们、这本书 → ____________________

白玛丽、吃香蕉 → ____________________

她、王老师 → ____________________

jù xíng liàn xí
## 句型练习

西瓜在哪里？
你的水果在哪里？

你喜欢的书 → ______
我的草莓 → ______
妈妈的葡萄 → ______

你喜欢不喜欢香蕉？
爸爸喜欢不喜欢葡萄？

白大卫、学中文 → ______
弟弟、上学 → ______
王小文、这学校 → ______

你喜欢什么书？
他喜欢什么学校？

哥哥、水果 → ______
姐姐、铅笔 → ______
老师、学生 → ______

# dì shí yī kè wǒ xǐ huān chī shuǐ guǒ
# 第十一课 我喜欢吃水果

## rèn dú zì cí
## 认读字词

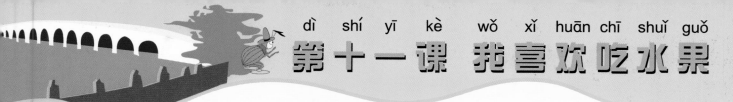

| | | |
|---|---|---|
| 西瓜 | xī guā | watermelon |
| 葡萄 | pú tao | grape |
| 橘子 | jú zi | tangerine |
| 多 | duō | much, many |
| 喜欢 | xǐ huān | to like |
| 吃 | chī | to eat |
| 水果 | shuǐ guǒ | fruit |
| 苹果 | píng guǒ | apple |
| 梨 | lí | pear |
| 香蕉 | xiāng jiāo | banana |
| 草莓 | cǎo méi | strawberry |

## xí xiě zì
## 习写字

吃 chī to eat 丨 ㄇ 口 口′ 口𠂉 吃

水 shuǐ water 亅 刁 水′ 水

xí xiě zì
## 习写字

果 guǒ fruit

丨 冂 日 日 旦 甲 果 果

很 hěn very

丿 彡 彳 彳 彳 彳 很 很 很

多 duō many, much

丿 ク 夕 夕 多 多

喜 xǐ happy, to like

一 十 士 吉 吉 吉 吉 吉 壴 喜 喜 喜

欢 huān to like

フ 又 又 欢 欢 欢

dì shí èr kè　nǐ xiǎng chī shén me

# 第十二课　你想吃什么？

火锅
水饺
烤鸭
Cola

dì shí èr kè nǐ xiǎng chī shén me

# 第十二课 你想吃什么？

xiǎng
你想吃什么？
è le
妈妈，我饿了！
xiǎng hàn bǎo shǔ tiáo
我想吃汉堡和薯条。
Cola
kě le
妈妈，我渴了！
xiǎng hē
你想喝什么？
xiǎng hē kě
我想喝可乐。

dì shí èr kè nǐ xiǎng chī shén me

# 第十二课 你想吃什么？

xiǎng xiǎng zhì
你们想不想吃三明治？
xiǎng zhì
我想吃三明治，
你们呢？
xiǎng zhì
我不想吃三明治。
xiǎng hē zhī
我想喝果汁。
è xiǎng bīng qí lín
我不饿，我想吃冰淇淋。

dì shí èr kè nǐ xiǎng chī shén me

# 第十二课 你想吃什么？

包子
饺子馆
xiǎng fàn
我想吃中国饭。
你们呢？
xiǎng jiǎo
我想吃水饺。
xiǎng jiǎo
我不想吃水饺，
xiǎng
我想吃包子，
你呢？
xiǎng fàn xiǎng hàn bǎo
我不想吃中国饭，我想吃汉堡。
火锅

## shì shì kàn
## 试试看 Challenge

王小文和白大卫饿了。王小文想吃汉堡和薯条。白大卫想吃三明治和冰淇淋。他们也渴了，他们想喝可乐和果汁。

你们饿不饿？你们想吃中国饭吗？我喜欢吃包子，李大中喜欢吃水饺，白玛丽喜欢吃汉堡。你喜欢吃什么？你们渴不渴？你们想喝什么？



## dú yì dú
## 读一读

我不饿，我不想吃包子。我渴了，想喝水。我不喜欢喝可乐，我想喝果汁。有什么果汁？有葡萄汁吗？有橘子汁吗？橘子汁好喝吗？

我在学校吃中饭，我的书包里有三个包子和苹果汁。我喜欢吃包子，不喜欢汉堡，也不喜欢三明治。我喜欢吃冰淇淋，喝果汁，我不喜欢喝可乐。

# dì shí èr kè nǐ xiǎng chī shén me
# 第十二课 你想吃什么？

## jù xíng
## 句型

我饿了。
I am hungry.

我渴了。
I am thirsty.

我不饿。
I am not hungry.

我不渴。
I am not thirsty.

你想吃什么？
What do you want to eat?

妹妹想吃什么？
What does little sister want to eat?

我想吃汉堡。
I want a hamburger.

她想吃冰淇淋。
She likes to eat ice cream.

你想喝什么？
What do you want to drink?

李大中想喝什么？
What does LI Dazhong want to drink?

我想喝可乐。
I want a cola.

他想喝果汁。
He likes juice.

你们想不想吃三明治？
Do you all want to eat sandwiches?

他们想不想吃中国饭？
Do they want to have Chinese food?

我们想吃三明治。
We want sandwiches.

我们不想吃三明治。
We do not want sandwiches.

我们想吃水饺。
We like to have Chinese dumplings.

他们想吃中国饭。
They like to have Chinese food.

他们不想吃中国饭。
They don't like to have Chinese food.

他们想吃汉堡。
They like to have hamburgers.

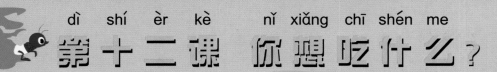

## jù xíng liàn xí
## 句型练习

我想吃水果。
弟弟想喝可乐。

爸爸、见校长 ➡ ____________________
我的同学、学中文 ➡ ____________________
妈妈、我 ➡ ____________________

你想吃什么汉堡？
你想喝什么果汁？

见、人 ➡ ____________________
吃、水果 ➡ ____________________
上、学校 ➡ ____________________

香蕉好吃吗？
果汁好喝吗？

中文、学 ➡ ____________________
冰淇淋、吃 ➡ ____________________
可乐、喝 ➡ ____________________

你饿不饿？
妹妹上不上学？

你、想吃 ➡ ____________________
他的中文、好 ➡ ____________________
你的学校、大 ➡ ____________________

# dì shí èr kè nǐ xiǎng chī shén me
# 第十二课 你想吃什么？

## rèn dú zì cí
## 认读字词

| | | |
|---|---|---|
| 饿 | è | hungry |
| 了 | le | [a grammatical word] |
| 想 | xiǎng | to feel like doing, to think, to want |
| 汉堡 | hàn bǎo | hamburger |
| 薯条 | shǔ tiáo | French fries |
| 渴 | kě | thirsty |
| 喝 | hē | to drink |
| 可乐 | kě lè | cola, coke |
| 你们 | nǐ men | you (plural) |
| 三明治 | sān míng zhì | sandwich |
| 果汁 | guǒ zhī | juice |
| 冰淇淋 | bīng qí lín | ice cream |
| 饭 | fàn | food, meal, cooked rice |
| 水饺 | shuǐ jiǎo | dumpling |
| 包子 | bāo zi | stuffed dumpling, usually round in shape |



## xí xiě zì
## 习写字

想 xiǎng to feel like doing, to think, to want

一 十 才 木 木I 相 相 相 相 相 想 想 想

xí xiě zì
## 习写字

什 shén what 丿 亻 仁 什

么 me what 丿 ㄥ 么

饿 è hungry 丿 𠂉 饣 饣 饣 饣 饣 饿 饿 饿

喝 hē to drink 丨 口 口 口 口 口 口 口 喝 喝 喝 喝

了 le [a grammatical word indicates a completed or finished action] 乛 了

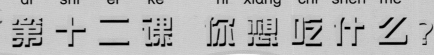

# 索引 INDEX

| | 中文<br>Chinese | 拼音<br>Pīn yīn | 英文<br>English | 课<br>lesson |
|---|---|---|---|---|
| A | 爱 | ài | to love | 6 |
| | 澳洲 | ào zhōu | Australia | 4 |
| B | 八 | bā | eight | 3 |
| | 爸爸 | bà ba | father | 6 |
| | 白 | bái | [a family name] | 2 |
| | 白板 | bái bǎn | whiteboard | 10 |
| | 包子 | bāo zi | stuffed dumpling, usually round in shape | 12 |
| | 本子 | běn zi | notebook | 10 |
| | 冰淇淋 | bīng qí lín | ice cream | 12 |
| | 不 | bù | no, not | 4 |
| C | 草莓 | cǎo méi | strawberry | 11 |
| | 吃 | chī | to eat | 11 |
| D | 大华街 | dà huá jiē | Dahua Street | 7 |
| | 大华小学 | dà huá xiǎo xué | Dahua elementary school | 5 |
| | 大卫 | dà wèi | [a given/first name] | 2 |
| | 大中 | dà zhōng | [a given/first name] | 2 |
| | 的 | de | [a possesive particle used after a pronoun or noun] :'s | 6 |
| | 弟弟 | dì di | younger brother | 6 |
| | 多 | duō | much, many | 11 |
| E | 饿 | è | hungry | 12 |
| | 二 | èr | two | 3 |
| F | 法国 | fǎ guó | France | 4 |
| | 饭 | fàn | food, meal, cooked rice | 12 |
| G | 哥哥 | gē ge | elder broter | 6 |
| | 个 | ge | [a measure word or counting word, describes a class of objects] | 5 |
| | 公园 | gōng yuán | park | 7 |
| | 国 | guó | country | 4 |
| | 果汁 | guǒ zhī | juice | 12 |

| | | | | |
|---|---|---|---|---|
| H | 汉堡 | hàn bǎo | hamburger | 12 |
| | 好 | hǎo | good, well, fine | 1 |
| | 号 | hào | number, day | 7 |
| | 喝 | hē | to drink | 12 |
| | 和 | hé | and | 6 |
| | 很 | hěn | very | 1 |
| J | 几 | jǐ | how many | 3 |
| | 几个 | jǐ ge | how many, a few | 6 |
| | 几岁 | jǐ suì | how old | 3 |
| | 加拿大 | jiā ná dà | Canada | 4 |
| | 家 | jiā | family, home | 6 |
| | 叫 | jiào | call, is called | 2 |
| | 教室 | jiào shì | classroom | 10 |
| | 街 | jiē | street | 7 |
| | 姐姐 | jiě jie | elder sister | 6 |
| | 今天 | jīn tiān | today | 8 |
| | 九 | jiǔ | nine | 3 |
| | 橘子 | jú zi | tangerine | 11 |
| K | 可乐 | kě lè | cola, coke | 12 |
| | 渴 | kě | thirsty | 12 |
| | 快乐 | kuài lè | happy | 8 |
| L | 老师 | lǎo shī | teacher | 1 |
| | 了 | le | [a grammatical word] | 12 |
| | 梨 | lí | pear | 11 |
| | 李 | lǐ | [ a family name] | 2 |
| | 里 | lǐ | inside, in | 10 |
| | 两 | liǎng | two | 6 |
| | 零 | líng | zero | 9 |
| | 六 | liù | six | 3 |
| | 楼 | lóu | floor | 7 |
| | 路 | lù | road | 7 |
| M | 妈妈 | mā ma | mother | 6 |
| | 吗 | ma | [ending word of a question] | 1 |
| | 玛丽 | mǎ lì | [a given/first name] | 2 |
| | 美国 | měi guó | United States of America | 4 |
| | 妹妹 | mèi mei | younger sister | 6 |
| | 们 | men | [used afer a pronoun or noun to show plural] | 1 |

| | | | | |
|---|---|---|---|---|
| | 名字 | míng zi | name | 2 |
| | 明天 | míng tiān | tomorrow | 9 |
| N | 哪 | nǎ | which | 4 |
| | 哪里 | nǎ li | where | 7 |
| | 那 | nà | that | 10 |
| | 呢 | ne | [ending word of a question] | 3 |
| | 你 | nǐ | you[singular] | 1 |
| | 你好 | nǐ hǎo | hello, how are you | 1 |
| | 你们 | nǐ men | you(plural) | 12 |
| | 年 | nián | year | 8 |
| | 年级 | nián jí | grade | 5 |
| P | 苹果 | píng guǒ | apple | 11 |
| | 葡萄 | pú tao | grape | 11 |
| Q | 七 | qī | seven | 3 |
| | 铅笔 | qiān bǐ | pencil | 10 |
| R | 人 | rén | person | 4 |
| | 日 | rì | day, the sun | 8 |
| | 日本 | rì běn | Japan | 4 |
| S | 三 | sān | three | 3 |
| | 三明治 | sān míng zhì | sandwich | 12 |
| | 上 | shàng | to go, to attend, up, above | 5 |
| | 什么 | shén me | what | 2 |
| | 生日 | shēng rì | birthdaty | 8 |
| | 十 | shí | ten | 3 |
| | 是 | shì | yes | 4 |
| | 是不是 | shì bú shì | [a question form-isn't it] | 4 |
| | 书 | shū | book | 10 |
| | 书包 | shū bāo | backpack, school bag, book bag | 10 |
| | 薯条 | shǔ tiáo | French fries | 12 |
| | 谁 | shéi | who | 6 |
| | 水果 | shuǐ guǒ | fruit | 11 |
| | 水饺 | shuǐ jiǎo | dumpling | 12 |
| | 四 | sì | four | 3 |
| | 岁 | suì | year of age | 3 |
| T | 他 | tā | he, him | 2 |
| | 她 | tā | she, her | 2 |
| | 同学 | tóng xué | classmate, shoolmate | 1 |
| W | 王 | wáng | [a family name] | 2 |

| | | | | |
|---|---|---|---|---|
| | 我 | wǒ | I, me | 1 |
| | 我的 | wǒ de | my, mine | 6 |
| | 五 | wǔ | five | 3 |
| X | 西瓜 | xī guā | watermelon | 11 |
| | 喜欢 | xǐ huān | to like | 11 |
| | 香蕉 | xiāng jiāo | banana | 11 |
| | 想 | xiǎng | to feel like doing, to think, to want | 12 |
| | 橡皮 | xiàng pí | eraser | 10 |
| | 小文 | xiǎo wén | [ a given/first name] | 2 |
| | 小学 | xiǎo xué | elementary school | 5 |
| | 校长 | xiào zhǎng | principal | 7 |
| | 谢谢 | xiè xie | thank | 1 |
| | 星期 | xīng qī | week | 9 |
| | 星期二 | xīng qī èr | Tuesday | 9 |
| | 星期六 | xīng qī liù | Saturday | 9 |
| | 星期日（天） | xīng qī rì (tiān) | Sunday | 9 |
| | 星期三 | xīng qī sān | Wednesday | 9 |
| | 星期四 | xīng qī sì | Thursday | 9 |
| | 星期五 | xīng qī wǔ | Friday | 9 |
| | 星期一 | xīng qī yī | Monday | 9 |
| | 学校 | xué xiào | school | 5 |
| Y | 也 | yě | also, too | 5 |
| | 一 | yī | one | 3 |
| | 椅子 | yǐ zi | chair | 10 |
| | 英国 | yīng guó | England, Britain | 4 |
| | 有 | yǒu | have(has), there are (is) | 6 |
| | 月 | yuè | month, the moon | 8 |
| Z | 再见 | zài jiàn | good-bye | 1 |
| | 在 | zài | at, in, on | 7 |
| | 这 | zhè | this | 6 |
| | 中国 | zhōng guó | China | 4 |
| | 住 | zhù | to live | 7 |
| | 祝 | zhù | to wish | 8 |
| | 桌子 | zhuō zi | desk, table | 10 |
| | 昨天 | zuó tiān | yesterday | 9 |

# 快乐华语

## About Chinese

**The Language**

Chinese languages mainly comprise of two kinds: Putonghua (Mandarin Chinese or huá yǔ ) and local dialects. About one billion Chinese speak Putonghua. Students are taught in Putonghua in schools. Variations of Putonghua, which are called dialects, are used in different parts of China.

**The Writing**

Chinese writing was first created over six thousand years ago, making it the oldest living language. The earliest form of writing was found on turtle shells, which were used to predict the future.

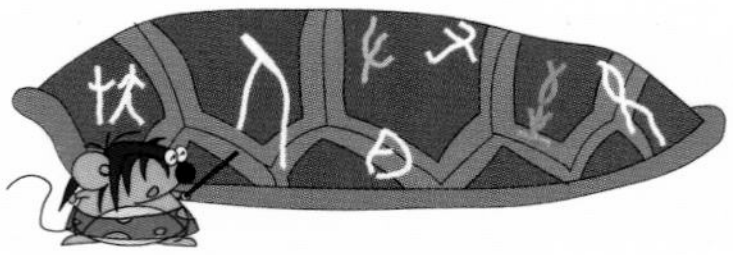

人

A good part of modern Chinese characters were developed from images of nature, such as the Sun （日 ）, the Moon （月 ）, mountains （山 ） rivers （川 ）, etc. These symbols, also called "pictograms", evolved over time and gradually became the characters people use today. Many other characters were derived from a combination of different forms, including the sound they represent.

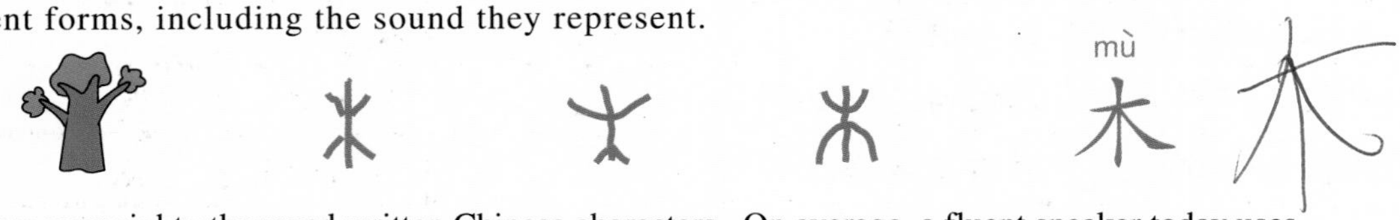
mù
木

There are over eighty thousand written Chinese characters. On average, a fluent speaker today uses about 1,000 to 2,000 words in everyday living.

The structure of a Chinese word or character can be composed of one whole, two or more parts. Examples of characters of one-whole are zhōng (中), dà (大), xiǎo (小). Two-part characters are either top-down like jiān (尖), or left-right like lín (林). Three part characters may have the components lined up horizontally like xiè (谢), shù (树), or vertically like sēn (森) .

Chinese words are often made up of two or more simple characters. The dominant character, which sometimes gives clue to what the word means, is called the *radical*. For example, the character lín ( 林 ) meaning forest, has the radical mù ( 木 ), which means wood. Most of the words with the radical mu have something to do with wood, like zhuō ( 桌 ), which means desk and is likely made of wood.

There are eight basic strokes in writing Chinese: héng (横), shù (竖), diǎn (点), piě (撇), nà (捺), tí (提), gōu (钩) and zhé (折).

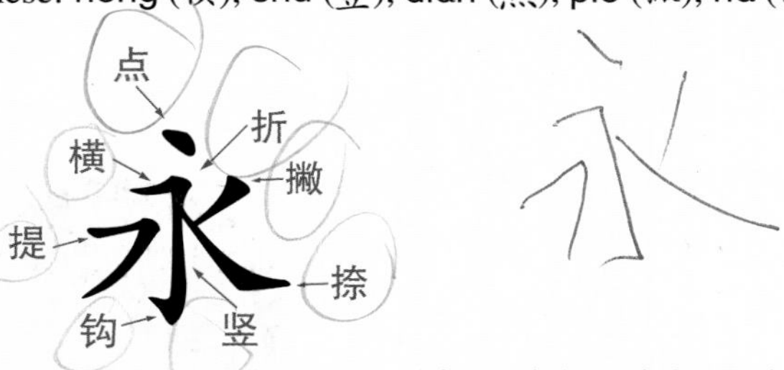
点
折
横
撇
提
永
捺
钩
竖

In the old days, Chinese characters were written from top to bottom and from right to left. Today most people and publications have adopted the modern writing and printing format-horizontally from left to right, just like English.

**The Pronunciation**

Chinese is spoken with different tones. Putonghua has four tones. The first is high and even, like when you open your mouth for the doctor (Ah...ah). The second rises in pitch, like when you ask a question (What?). The third dips and then rises, like when you are uncertain (Maybe!?). The fourth tone is a sharp falling tone. It is short, strong and straight like when you say a forceful "No!"

zài jiàn